An Capall Rása Tuirseach

scríofa ag Patricia Mac Eoin

maisithe ag Richard Watson

Leabhair eile sa tsraith Trixie agus Tony:

1. Clár Teilifíse

Dhún Tony doras an chlinic. A thiarcais!
A leithéid de lá!" ar seisean. Chuir sé an clinic
faoi ghlas agus chuamar abhaile.

Bhí rásaí capall ar siúl ar an teilifís.
"Sin Luas Lasrach!" arsa Tony, agus sceitimíní air.
"Nach álainn an capall í! Thug mise aire di nuair
a bhí sí beag!" Bhí an marcach ag bualadh
Luas Lasrach go láidir le fuip!

"Sin Pól Ó Maoláin," arsa Tony. "Bíonn sé an-gharbh leis na capaill. Féach air!"

"Níor bhuaigh Luas Lasrach rás le bliain anuas," arsa an glór ar an teilifís. "Ach anois tá marcach nua uirthi. An éireoidh léi an Corn Óir a bhaint i mbliana?"

"Sin Aoife, iníon mo charad Seán Ó Murchú,"
arsa Tony. "Is é Seán traenálaí Luas Lasrach!"
D'fhéach mé ar Aoife. "Beidh sé deacair an
Corn Óir a bhaint, cinnte," ar sise. "Is é an Corn
Óir an duais is mó ar fad. Ach is capall iontach
í Luas Lasrach agus táim ag súil go mór leis an
rás!"

"Aoife agus Luas Lasrach!" arsa Tony, agus gliondar air. "Aoife agus Luas Lasrach, sa Chorn Óir!" Bhí sé ar bís! Bhíomar beirt ar bís le rás an Choirn Óir a fheiceáil i gceann coicíse!

2. Cad atá cearr le Luas Lasrach?

Seachtain ina dhiaidh sin, fuair Tony glaoch gutháin óna chara Seán Ó Murchú, an traenálaí capall. "Tiocfaidh mé láithreach bonn," arsa Tony.

Bhí Seán ag fanacht linn sa chlós. Bhí Aoife ina theannta. Bhí cuma an-bhuartha ar an mbeirt acu. "Ní theastaíonn ó Luas Lasrach rud ar bith a dhéanamh ach dul a chodladh!" arsa Aoife.

D'oscail Seán doras an stábla agus isteach linn.
Bhí a cloigeann fúithi ag Luas Lasrach.
Agus bhí cuma an-tuirseach uirthi.

"Thriail mé gach rud...tuilleadh coirce, tuilleadh féar tirim," arsa Seán. "Ach ní raibh aon mhaith ann."

Tháinig fear isteach sa stábla. D'aithin mé ar
an bpointe é – Pól Ó Maoláin a bhí ann,
an marcach garbh a bhí ar an teilifís.
"An mbeidh tú in ann Luas Lasrach a leigheas?"
a d'fhiafraigh Pól de Tony. "Tá sé truamhéalach
í a fheiceáil mar seo!"

Bhreathnaigh Tony i súile an chapaill, ina cluasa, ina béal. Chrom sé agus scrúdaigh sé a crúba. D'éist sé lena croí.

"Tá na cosa go breá, tá an croí go breá," arsa Tony, "ach níl pioc fuinnimh inti."

"Tá sé seo uafásach," arsa Pól, agus cuma an-bhrónach air. "Uafásach ar fad ar fad!"

"Lig di a scíth a ghlacadh ar feadh cúpla lá," arsa Tony. "Tabhair an buidéal leighis seo di. Táim dóchasach go mbeidh sí ar ais ar a seanléim i gceann lá nó dhó."

Bhí cuma an-bhuartha ar Sheán agus ar Aoife agus muid ag fágáil. Bhí gach duine ag súil le Luas Lasrach a fheiceáil ag rith sa rás Dé Domhnaigh...nó an raibh?

3. Fiosrúchán

An lá dar gcionn, ghlaoigh Aoife. "Tá Luas
Lasrach níos measa inniu!" ar sise. "Is ar
éigean atá sí in ann seasamh." Ar ais chuig na
stáblaí linn. "Déanfaidh mé tástáil fola," arsa
Tony. "Tabharfaidh sin tuilleadh eolais dúinn."

Chuimil Aoife cloigeann Luas Lasrach.
Ansin, thosaigh Pól ag caoineadh. "Tá sé seo
uafásach!" ar seisean. "Uafásach ar fad ar fad!"
Amach as an stábla leis. Bhí deora ina shúile.

Bhí mé fiosrach faoi Phól anois. Lean mé amach
é. Chomh luath agus a d'imigh sé as an stábla
stop na deora. Chuimil sé a dhá bhos le chéile.
Tháinig straois mhór gáire air.

Bhí rud éigin an-aisteach ar bun agus ba chosúil go raibh baint ag Pól leis. Bhí orm fanacht ag an stábla agus an scéal a fhiosrú.

"Beidh torthaí na tástála fola agam an chéad rud ar maidin," arsa Tony, agus é ag fágáil slán ag Seán. Léim mise amach as an gcarr, i ngan fhios do Tony.

Isteach liom sa stábla ina raibh Luas Lasrach. Bhí rún agam súil a choinneáil ar an gcapall bocht go maidin. D'fhan mé ansin ar feadh i bhfad, ach níor tharla aon cheo. Ansin, thit mé i mo chodladh ar feadh tamaillín.

Dhúisigh mé de phreab. Bhí Aoife ann.
Chonaic sí ar an bpointe mé. "D'fhág Tony ina
dhiaidh thú! Trixie bhocht! Tar anseo," ar sise.
Phioc sí suas ina baclainn mé. "Fanfaidh tú
sa teach agamsa anocht. Beidh Tony ar ais
ar maidin agus beidh tú in ann dul abhaile
leis ansin."

Áí! Bhí mo phlean millte.
Conas a d'fhéadfainn súil a choinneáil ar Luas
Lasrach anois?

25

4. Eachtra san oíche

Shocraigh Aoife ciseán compordach dom ag
bun a leapa. D'fhan mé ann go ciúin go dtí gur
thit sí ina codladh. Ansin, síos an staighre liom
go mall, cúramach.

Bhí Seán ina shuí sa chistin os comhair na teilifíse. Bhí sé ag srannadh go bog.
Shiúil mé go mall tríd an gcistin, ar eagla go ndúiseoinn é.

Ar ais go dtí an stábla liom, ach bhí sé faoi
ghlas anois. Ní raibh an dara rogha agam ach
fanacht amuigh sa chlós. D'fhan mé ansin
ag faire ar feadh tamall fada. I lár na hoíche
chonaic mé fear ag siúl sa chlós. D'oscail sé
doras an stábla. Isteach leis.

D'fhéach mé go cúramach air. Bhí mála beag leis ina lámh. D'oscail sé an mála agus dhoirt sé púdar bán isteach i mbia Luas Lasrach.

Bhí orm an bithiúnach sin a stopadh. Rith mé i dtreo an dorais agus léim mé ina aghaidh. Dhún an doras de phlab ollmhór!

Rinne an fear istigh iarracht an doras a
bhriseadh síos. Ach doras breá láidir a bhí ann!

5. An mhaidin dar gcionn

Bhuel, an ruaille buaille a bhí ann an mhaidin dar gcionn! Bhí ionadh an domhain ar Sheán nuair a d'oscail sé doras an stábla. Rith an fear amach ar an bpointe.

Rith mise ina dhiaidh agus rug mé greim ar a bhríste. Ní raibh sé chun éalú uaimse chomh héasca sin!

Díreach ag an nóiméad sin, thiomáin Tony
isteach sa chlós. Bhí sceitimíní air.
"Bhí púdar codlata sa tástáil fola," arsa Tony.
"Sin an fáth a bhfuil néal ar Luas Lasrach!"

Bhreathnaíomar go léir ar an mála a bhí tar
éis titim ar an talamh. Thóg Tony an mála agus
bholaigh sé den phúdar. "Seo púdar codlata,"
ar seisean. "An stuif céanna atá ag cur néal ar
Luas Lasrach!'

6. An Lá Mór

Tháinig maidin Dé Domhnaigh agus bhí Luas Lasrach ar a seanléim arís. Bhuaileamar le Seán ag an ráschúrsa. "D'admhaigh Pól gach rud, a Tony," arsa Seán. "Bhí éad uafásach air le hAoife mar gur roghnaigh mé ise mar mharcach le haghaidh rás an Choirn Óir."

A haon, a dó, a trí....agus bhí siad imithe!
Rith Luas Lasrach ar nós na gaoithe.
Tháinig sí sa chéad áit!

Bhí ríméad ar gach duine. Rinne Tony comhghairdeas le Seán agus le hAoife tar éis an rása. Ní chreidfeá an rud a dúirt sé ansin! "Bhí mé an-trína chéile gur fhág mé Trixie i mo dhiaidh an oíche cheana," ar seisean.

"Is nach maith an rud gur dhún an doras ar Phól?
An ghaoth a bhí ann, is dócha. Murach sin, ní
bheadh a fhios againn go brách cé a bhí ag
cur púdar codlata sa bhia!"

É a rá gur de thimpiste a d'fhág sé mise ina dhiaidh! Gaoth láidir! Arú, níl cliú ag Tony! Níl cliú aige!